# Une petite sœur pour MATÉO

Texte : Nadège Cochard
Illustrations : Fanny

À ma petite fée du bonheur, Naëma.
Nadège Cochard

Pour Milan qui a eu le bonheur,
comme Matéo, d'avoir une belle
petite sœur, Mathilde.
Fanny

imagine

Matéo va bientôt avoir une petite sœur. Quel bonheur!
Il sautille à l'idée de jouer avec le bébé.

« Patience, mon garçon, dit maman en riant.
Ta petite sœur doit encore grandir dans mon ventre
avant de naître. »

En attendant, Matéo observe ce gros bedon rond.
Il chante des chansons et le bébé bouge comme
un poisson!

À la garderie du Doux Réveil, Matéo est fier d'annoncer à ses amis qu'il sera bientôt un grand frère. Pour faire comme maman, Matéo et son amie Marilune cachent des poupées sous leurs vêtements. C'est très amusant!

En attendant la naissance du bébé, Matéo découpe des tas de petits cœurs pour décorer la chambre de sa sœur.

Ce matin, en se réveillant, Matéo n'entend pas la voix de maman. Il aperçoit papi et mamie dans la cuisine.

«Il est né, annonce mamie doucement. Habille-toi, nous partons voir le bébé!»

Lorsqu'il arrive à l'hôpital, Matéo est bien excité.

Dans un petit lit, il y a un vrai bébé avec de minuscules pieds, prêts à être chatouillés. Matéo caresse les doigts de sa sœur et chuchote: «Toi et moi, on va bien s'amuser!»

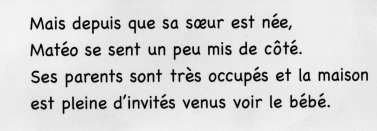

Mais depuis que sa sœur est née,
Matéo se sent un peu mis de côté.
Ses parents sont très occupés et la maison
est pleine d'invités venus voir le bébé.

Matéo est déçu qu'on ne le regarde plus.

Alors, il se met à chanter à tue-tête, à danser, à crier même, devant toute cette assemblée. Mais personne ne se détourne, sauf papa et maman, qui froncent les sourcils en le voyant faire toutes ces acrobaties.

Matéo a une excellente idée : il va
redevenir un bébé. Comme ça, papa
et maman pourront le cajoler pendant
des heures. Abracadabra !

Il se jette par terre, remue ses petits
pieds et bave exactement comme
sa petite sœur.

Matéo est devenu si petit
qu'il se réveille toutes
les nuits.

Il mange avec ses doigts...

... veut toujours que papa
le prenne dans ses bras...

... et ne dit plus rien d'autre
que «da, da, da».

C'est un excellent imitateur!

Un jour, papi et mamie arrivent à la maison
avec un gros cadeau. C'est un magnifique vélo.
«Désolée, explique maman, nous ne pouvons pas
le garder, car nos deux bébés sont trop petits
pour pédaler.»

Matéo retire son pouce de sa bouche et s'exclame:
«Mais non, maman! Je suis grand, maintenant!»

Depuis qu'il a son nouveau vélo, Matéo est très content.
Il adore faire des promenades, surtout quand papa,
le bébé dans les bras, court derrière lui en criant:
«Nous allons t'attraper!»

Matéo pédale vite en entendant sa sœur
approcher. Ça le rend heureux
de l'entendre rigoler.

Le soir, Matéo peut aller se coucher après sa petite sœur parce que lui, il n'est plus un bébé. Il a le droit de choisir ses vêtements et de manger dans une assiette de grand.

Mais ce qu'il aime encore plus, c'est de pouvoir jouer à des jeux INTERDITS aux plus petits que lui.

Matéo est vraiment fier d'être un grand frère, et papa
et maman sont très contents qu'il soit redevenu grand.

Ce soir, en se couchant, il confie un secret à papa:
«Tu sais, j'ai une bonne nouvelle à t'annoncer...
Marilune et moi, quand nous serons grands,
nous aurons dix bébés!»

**Catalogage avant publication
de Bibliothèque et Archives nationales du Québec
et Bibliothèque et Archives Canada**

Cochard, Nadège, 1976-

Une petite sœur pour Matéo

(Mes premières histoires)
Pour enfants de 3 à 5 ans.

ISBN 978-2-89608-081-6

I. Fanny. II. Titre. III. Collection :
Mes premières histoires (Éditions Imagine).

PS8605.O25P47 2010
jC843'.6    C2009-942249-2
PS9605.O25P47 2010

Une petite sœur pour Matéo
© Nadège Cochard / Fanny
© Les éditions Imagine inc. 2010
Tous droits réservés
Graphisme : Pierre David

Dépôt légal : 2010
Bibliothèque nationale du Québec
Bibliothèque nationale du Canada

**Les éditions Imagine**
4446, boul. Saint-Laurent, 7e étage
Montréal (Québec) H2W 1Z5
Courriel : info@editionsimagine.com
Site Internet : www.editionsimagine.com

**Tous nos livres sont imprimés au Québec.**
10 9 8 7 6 5 4 3 2 1

Gouvernement du Québec – Programme de crédit d'impôt
pour l'édition de livres – Gestion SODEC.

Nous reconnaissons l'aide financière du gouvernement du Canada par l'entremise
du programme d'aide au développement de l'industrie de l'édition (PADIÉ)
pour nos activités d'édition.

Nous remercions le Conseil des Arts du Canada de l'aide accordée à notre programme de publication.

Programme d'aide aux entreprises du livre et de l'édition spécialisée de la SODEC.